MAMAN NE M'A JAMAIS DIT...

BABETTE COLE

SEUIL JEUNESSE

Maman ne m'a jamais dit
que la vie est pleine de petits secrets.

Comme, par exemple,
à quoi sert mon nombril…

Maman ne m'a jamais dit
pourquoi elle est si occupée
qu'elle n'a plus de temps pour moi…

Ni pourquoi je dois aller à l'école…

... alors qu'elle, elle en a été renvoyée.

Maman ne m'a jamais dit à quoi la petite souris…

… ressemble vraiment.

Maman ne m'a jamais dit
que les garçons sont différents des filles…

… ni qu'en grandissant,
il devient difficile
de les distinguer…

… les uns
des autres !

Pourquoi les adultes
ont des poils
dans les oreilles
et dans le nez,

mais n'ont, parfois,
plus un poil sur le caillou !

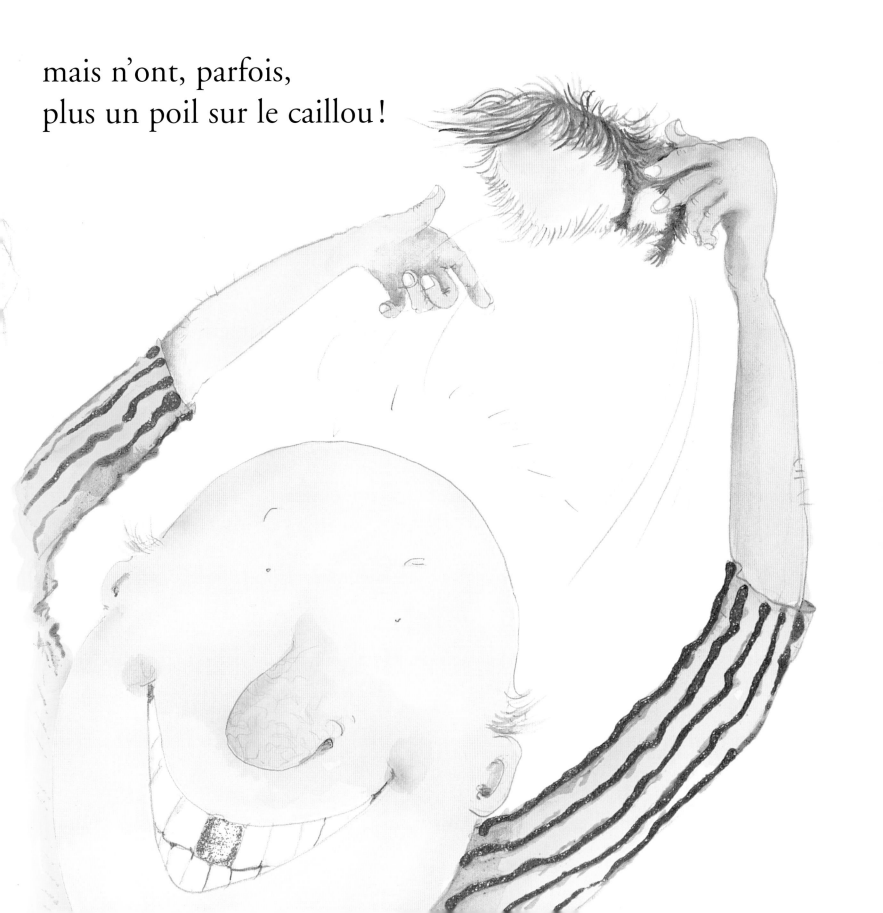

Les docteurs peuvent les aider
à choisir un nouveau nez.

Mais ils ne vous disent pas que faire des anciens !

Elle ne m'a jamais dit pourquoi certains adultes
s'endorment avec leurs dents dans un verre à côté d'eux,

ni pourquoi
ils restent
aussi longtemps
dans les toilettes.

Pourquoi papa et maman m'ont mis

à la porte de leur chambre…

BOING!

Ni pourquoi ils sortent…

le soir.

Maman ne m'a jamais dit où les parents
qui ne peuvent pas avoir d'enfants
vont en chercher un.

Ou comment
on peut détester
quelqu'un

et l'aimer
en même temps…

Pourquoi certaines femmes
tombent-elles amoureuses d'autres femmes…

et certains hommes d'autres hommes ?

Mais je ne m'en fais pas.
Le moment venu, elle m'expliquera tout ça !

Pour Boo

Pour l'édition originale publiée par Random House
sous le titre *Mummy Never Told Me*
© Babette Cole, 2003

Pour l'édition française
© Éditions du Seuil, 2003
Adaptation française : Seuil jeunesse
ISBN : 2-02-057843-3
N° 57843-1
Dépôt légal : mars 2003
Loi 49-956 du 16 juillet 1949 sur les publications destinées à la jeunesse
Imprimé à Singapour

www.seuil.com